Na, Nel!

I Gruffudd Wyn

Meleri Wyn James

y Lolfa

Hoffwn ddiolch i'r canlynol:

i fy ffrindiau yn y Lolfa, Meinir Wyn Edwards a Nia Peris, am eu cyngor doeth a'u cefnogaeth barod;

i Anwen Francis am ei chaniatâd i fenthyg enw Siani'r Shetland;

i'r artist John Lund am ei ddarluniau bendigedig, i Alan Thomas am y gwaith dylunio ac i Sion Ilar am y clawr trawiadol;

i'r holl blant rwy wedi cwrdd â nhw wrth ddarllen straeon *Na, Nel!* I Mia Seren, Esther Alys a'u ffrindiau hyfryd am wneud i mi chwerthin, ac yn arbennig i Lleucu Siôn a Mari Gibson am ddarllen y straeon ac am eu geiriau caredig.

Argraffiad cyntaf: 2015

Cynllun y clawr: Sion Ilar
Llun y clawr: John Lund

Rhif Llyfr Rhyngwladol: 978 1 78461 130 9

Dymuna'r cyhoeddwyr gydnabod cymorth ariannol Cyngor Llyfrau Cymru

Cyhoeddwyd ac argraffwyd yng Nghymru
ar bapur o goedwigoedd cynaladwy gan
Y Lolfa Cyf., Talybont, Ceredigion SY24 5HE
e-bost ylolfa@ylolfa.com
gwefan www.ylolfa.com
ffôn 01970 832 304
ffacs 01970 832 782

Cynnwys

"Nel ydw i.
Dwi'n hoffi sbort a sbri.
Merch dda? Ydw. Weithiau.
Ond direidus ar fy ngorau."

“Dwi eisie ci!”

Pennod 1

“Dwi eisie ci!”

Gorweddai Nel ar y gwely caban yn ymladd gyda thop ei phyjamas, fel octopws dall mewn tŷ golchi. Ond roedd ei llais mor glir â chloch llong.

“Rydyn ni’n mynd i’r sioe ddydd Sadwrn,” meddai Mam, gan geisio osgoi trafod cael ci.

“Ydyn. I ddewis pa anifail anwes sy’n dod adref gyda ni.”

POP! Daeth pen a nyth o gyrls aur anystywallt i’r golwg a thaflwyd y pyjamas yn ddiseremoni ar lawr. Fe fyddai’n llawer haws petai Nel yn newid ei dillad gyda’i dwy droed ar y llawr. Ond doedd Nel ddim eisiau gwneud pethau'n hawdd – yn hawdd iddi hi ei hun, nac i bobol eraill.

Chwarddodd Mam yn nerfus, fel y byddai hi'n gwneud bob amser wrth glywed un o syniadau Nel.

"Mynd i'r sioe i WELD yr anifeiliaid fyddwn ni, Nel fach," meddai Dad, gan bwysleisio'r gair 'gweld' yn dyner.

Pan ddaeth hi'n amser gwisgo i fynd i'r ysgol, roedd Nel wedi gwrthod pob help. Mynnodd fod Mam yn estyn fest a sanau glân iddi. Yna, gwrthododd bob dilledyn a roddodd Mam o'i blaen.

"NA, NA, NA!" meddai'n groch.

Penderfynodd Nel y byddai 'fest a sanau brwnt ddoe' yn 'fest a sanau glân heddiw'.

Roedd Mam wrthi'n cadw'r dillad roedd Nel wedi eu gwrthod. Ac roedd Dad, wel, doedd Dad ddim yn siŵr beth i'w wneud, a dweud y gwir.

Ar y gwely, roedd Mister Fflwff yn llyfu ei gynffon yn ofalus, gan fod tiara ar ei ben. Cafodd y tiara gan Nel i'w wisgo ar achlysuron arbennig. Roedd e'n hoff iawn ohono erbyn hyn ac roedd yn edrych ymlaen at ei wisgo i Sioe Fawr Aberwrach ddydd Sadwrn. Wrth ei ochr, eisteddai Sali Mali ar ei newydd wedd. Oni bai am y ffrog oren a'r sgidiau du diflas, fyddech chi ddim yn ei nabod hi. Roedd hi'n ddigon o sioe ei hun mewn wìg melyn newydd. Ac roedd y Dewin Dwl wrth ei fodd gyda'i het gowboi a'i fathodyn 'Dwi'n siarad Cymraeg'.

"Pa anifail gawn ni? Ci dwi eisie."

Dewisodd Dad ei eiriau'n ofalus. "Petaen ni'n cael anifail anwes – a dwi ddim yn dweud y byddwn ni…"

"Dwi eisie anifail! Dwi eisie ci!" torrodd Nel ar ei draws. Safodd ar ei thraed yn sydyn a dechrau neidio lan a lawr a lan a lawr fel pêl yn bownsio ar drampolîn.

Neidiodd Mister Fflwff o'r ffordd, gan

edrych ar Nel yn syn. Doedd Mister Fflwff ddim eisiau ci. Anifail oedd ci. Doedd e ddim yn hoffi anifeiliaid. Yr unig eithriad oedd Plop y pysgodyn aur. Roedd Mister Fflwff yn hoffi Plop. Yn wir, roedd e'n hoff iawn, iawn o roi ei bawennau yn y tanc pysgod i roi cwtsh i Plop. Bu'n rhaid rhoi top ar y tanc i arbed Plop rhag y cwtsho mawr.

Roedd Mister Fflwff yn edrych ymlaen at y sioe ddydd Sadwrn ac at wisgo'r tiara ysblennydd. Doedd e ddim yn bwriadu cystadlu, wrth gwrs. Gwelai ei hun fel seren y sioe. Ar ei orsedd ar gefn lori. Y cŵn ar y llawr, lle dylen nhw fod, yn edrych i fyny ato. Ef, Mister Fflwff, yn eu pasio nhw, a'u hanwybyddu. Roedd yn gwisgo tiara ar ei ben o'i wirfodd ers clywed am y sioe. Roedd Nel eisiau bod yn Dywysoges y Sioe. Ond dywedodd Dad a Mam bod yn rhaid "tyfu i fyny" cyn bod yn "seren y sioe".

"Beth yw 'tyfu i fyny'?" gofynnodd Nel. "Dwi ffaelu aros tan ddydd Sadwrn. Gallwn ni ofyn i fy ffrind gore – fy FfG – ddod gyda ni," meddai, i guddio ei siom.

A chan feddwl am Mair Mwyn, ffrind gorau hyfryd Nel, fe gytunodd Dad a Mam. Byddai, byddai ffrind Nel yn gyfrifoldeb arall, ond roedd Dad a Mam yn hoffi Mair Mwyn. Roedd hi'n dawel ac yn gwrtais, ac yn gwneud ei gorau i beidio â bod yn gas wrth neb.

"Ci, ci, ci!" Roedd Nel yn dal i fownsio ac i weiddi.

"Araf bach nawr, Nel. Mae cael anifail anwes yn gyfrifoldeb mawr. Bydd rhaid dewis anifail fydd yn gweddu i'n teulu ni."

"CI, CI, CI!"

Cydiodd Nel ym mreichiau Dad wrth neidio lan a lawr. Rhoddodd Dad gwtsh mawr iddi, heb fwriadu gwneud hynny.

"Plis?" meddai Nel gyda gwên fel plentyn mewn hysbyseb past dannedd.

"Nel, rwyt ti a Twm yn Ysgol Pen-y-daith drwy'r dydd. Ac mae Dad a Mam yn y gwaith."

Roedd Mam wedi gorffen cadw dillad. Pasiodd

grys ysgol glân i Nel ei wisgo dros y fest frwnt.

"Gartref trwy'r dydd? Ar ei ben ei hunan bach? Fyddai hynny ddim yn deg ar yr anifail," esboniodd Dad. Roedd e'n trio penderfynu beth oedd yr oglau ar wallt Nel – Nutella?

Ymestynnodd Mister Fflwff ei gorff yn swnllyd. Roedd e'n synnu braidd clywed Dad yn dweud hyn. Yr amser pan oedd pawb allan o'r tŷ? Wel, dyna ei hoff adeg o'r dydd. Roedd yn hoff iawn o amser gwely Nel hefyd.

"Bydd rhaid i chi ymddiswyddo, 'te."

"Ymddiswyddo?"

"Ie, gadael y gwaith," siglodd Nel ei phen. Doedd hi ddim yn siŵr i ba ysgol aeth Dad a Mam… Doedd hi ddim yn siŵr a aethon nhw i'r ysgol o gwbwl... Roedd eu hanwybodaeth nhw yn ysgytwol!

"Rwyt ti wastad yn cwyno am y gwaith ta beth, Mam," meddai Nel, gan feddwl am y ci bach yn llenwi'r tŷ gyda'i gyfarth a'i grio a'i sboncio sionc. "A sdim byd neis gyda ti i'w ddweud am y bòs... O, dwi ffaelu aros tan ddydd Sadwrn. Dwi ffaelu aros i gael ci!"

Ochneidiodd Mam. Ochneidiodd Dad. Roedden NHW hefyd yn meddwl am y ci bach yn llenwi'r tŷ gyda'i gyfarth a'i grio a'i sboncio sionc.

"Fe all y ci gysgu ar fy ngwely i. A fydd dim rhaid i fi fynd i'r ysgol achos bydda i'n gofalu am y ci drwy'r dydd."

Cododdd Mister Fflwff ei ben. Yn ofalus, wrth gwrs, achos y tiara. Oedden nhw o ddifri am gael anifail anwes? (Nid anifail oedd Mister Fflwff, yn ei ben fflwfflyd ei hun. Roedd e'n un o'r teulu.) Oedden nhw o ddifri am gael ci ar y gwely? Doedd gwely ddim yn addas i anifail.

Ac am faint fyddai hynny'n para, sgwn i? gofynnodd Dad wrtho'i hun, gan feddwl pa mor aml roedd Nel yn anghofio bwydo Plop. Roedd wedi ei rhybuddio droeon nad oedd awyr iach yn fwyd digonol i bysgodyn aur.

"Dwi'n gwbod! Beth am anifail anwes BACH, 'te…?" Roedd Nel yn dawnsio o gwmpas gyda'i sgert ysgol ar ei phen.

"Wyt ti'n gallu aros yn llonydd, cariad bach, er mwyn i mi frwsio dy wallt?" gofynnodd Mam. "Mae brwsio gwallt yn brifo llai pan fyddi di'n aros yn llonydd – ti'n cofio?"

"Mae llau pen yn fach. Ti'n cofio pan ges i lau pen, Mam?"

Crafodd Mam ei phen… a Dad… a Twm. Roedden nhw i gyd yn cofio'r llau pen yn iawn.

"Dyw llau pen ddim yn anifeiliaid anwes. Amser mynd!" meddai Mam yn hwyliog.

"Mynd i'r sioe?"

"I'r ysgol, wrth gwrs," siglodd Twm ei ben.

"Dwi ddim yn mynd i'r ysgol heddiw."

"Wyt, mi wyt ti." Ceisiodd Mam fod yn llon.

"Na, dwi ddim."

"Wyt, mi wyt ti." Roedd Dad yn llai sionc.

"Na, dwi ddim."

"Bydd rhaid mynd i'r ysgol neu byddi di'n colli mas ar glywed mwy am thema'r tymor." Gwnaeth Dad ei orau glas i'w pherswadio.

"ANIFEILIAID!" sgrechiodd Nel, gan dynnu'r sgert oddi ar ei phen. "Bydd Miss Morgan wrth ei bodd yn clywed 'mod i'n cael ci!"

"Ond, Nel…!" gwaeddodd Mam ar ei hôl. "Paid â rhedeg! Mae dy sgidiau di ar y traed anghywir…"

Ond roedd Nel wedi sgrialu oddi

yno fel cath i gythraul.

"Thema anifeiliaid. Am dymor cyfan. Tymor hir... o hyn!" meddai Mam.

"Mae'n braf gweld bod diddordeb ganddi mewn gwaith ysgol," meddai Dad. "Gallai pethau fod yn waeth."

"Gallai," cytunodd Mam. "Beth petai hi eisie draig goch?"

Pennod 2

"Dwi eisie ci!"

"Eisie GWELD ci wyt ti, ife Nel?"

"Nage. DWI. EISIE. CI."

Dywedodd Nel bob gair yn uchel ac yn glir, fel petai hi'n siarad â phlentyn bach oedd angen glanhau ei glustiau.

Roedd hi'n ddiwrnod o haf. Er ei bod hi'n ddydd Sadwrn, roedd hi'n sych ac roedd yr haul yn yr awyr fel powlen fawr o gwstard cynnes. Roedd hi'n dywydd delfrydol i fwynhau'r sioe – cyfle i bobol leol ddod ynghyd yn yr awyr iach… i gystadlu yn erbyn ei gilydd.

Roedd pawb mewn hwyliau da. Hyd yn oed Dad a Mam…

"Mae hyn yn braf," meddai Mam.

"Mae hyn BRON yn braf," meddai Dad, gan gofio am Barti Blin. Roedd Nel wedi gwahodd Barti i'r sioe cyn i Mam gael cyfle i decstio mam Mair Mwyn.

"Dyw pawb ddim yn ei alw fe'n Barti Blin," meddai Nel wrth drio perswadio Dad i adael i'w FfG newydd hi ymuno â nhw.

"Mae ei ffrindiau'n ei alw fe'n Barti Blin… a'i athrawes… a'i rieni…"

"Ond, Da-ad, dyw PAWB ddim yn ei alw fe'n Barti Blin."

"Ocê, Nel. Dim ond y bobol sy'n

ei NABOD e sy'n ei alw fe'n Barti Blin, 'te."

"Ie, Dad. Yn gwmws."

Doedd Dad ddim yn hoffi Barti Blin. Roedd e'n gwisgo gwisg Spiderman i bob man, hyd yn oed i'r ysgol. Ond corryn bach blin oedd hwn. Roedd e'n colli ei dymer byth a hefyd. A phan fyddai'n flin, byddai ei wyneb mor goch â'i wisg.

Do, cafodd dosbarth Nel wers ysgrifennu creadigol ddifyr iawn yn cymharu wyneb Barti Blin â phethau gwahanol.

Roedd e'n atgoffa Dad o *The Incredible Hulk* – rhaglen deledu o'i blentyndod am ddyn oedd yn troi'n wyrdd pan oedd yn colli'i dymer.

"Ife dyna beth yw bod yn hen? Siarad am y gorffennol drwy'r amser?" gofynnodd Nel.

Dihunwyd Dad o'i freuddwyd am y dyddiau da gan ddafad yn brefu gerllaw. Edrychodd o'i gwmpas ar gae mawr y sioe. "Nel, ble mae Barti Blin?... Nel?... Ble mae Nel?"

"BW!"

Bu Dad a Mam a Twm bron â neidio allan o'u crwyn!

"Barti. Nel. Diolch byth!... Beth ydych chi'n ei wneud mewn fan'na, yng nghanol y defaid?!"

"Dwi'n mynd i ofyn i'r ffarmwr gneifio cyrls Nel. Mae ei gwallt fel gwlân dafad," atebodd Barti'n flin.

"Gwallt nant y mynydd groyw loyw, yn ymdroelli tua'r pant!" Cododd Nel ei dwrn. Roedd hi'n wyllt fel teigr.

"Beth am hufen iâ?" gofynnodd Mam. "Os ddewch chi mas o ganol y dom defaid nawr, gewch chi hufen iâ mawr."

"A Flake! Dwi eisie Flake!"

"Os ddewch chi mas NAWR, gewch chi bobo Flake."

Ochneidiodd Twm. Blacmêl. Does bosib nad dyna'r ffordd fwyaf effeithiol o fagu plant.

Pennod 3

Roedd Mam yn cystadlu heddiw. Roedd ei chacen ar y fainc yn y babell goginio ers ben bore. Doedd dim byd yn mynd i'w diflasu hi. Bu'n edrych ymlaen at rannu'r gacen gyda'r beirniad. Nawr, roedd Mam ar bigau. Roedd cyffro mawr a thwr o bobol yn y babell yn edrych ymlaen at glywed y canlyniadau.

"Wyt ti'n meddwl y byddwn ni'n gallu bwyta'r gacen hon?" gofynnodd Nel, gan dorri gwynt ar ôl yr hufen iâ mawr a'r Flake.

"Beth ti'n feddwl, Nel fach?" Edrychodd Mam ar ei chacen ar y bwrdd beirniadu. Cacen sbigoglys oedd hi, gydag eisin hufen sur. Ac roedd un darn bach ar goll lle bu'r beirniad yn ei blasu.

"Wel, roedd hi'n edrych yn bert iawn llynedd, ond dwedodd Dad ei bod hi'n galed fel haearn."

"Do fe nawr?" meddai Mam yn sarcastig.

"On'd do fe, Dad?"

"Wel..." Roedd hi'n gynnes yn y babell ac roedd wyneb Dad yn binc.

Wrth ymyl cacen Mam roedd cacen mam Cai Cwestiwn. Cacen siocled oedd hi, gydag eisin siocled a botymau siocled drosti i gyd. Roedd y babell yn llawn byrddau, a phob bwrdd yn llawn cacennau. Welodd Nel na Barti Blin erioed gymaint o gacennau.

"Falle galla I helpu ti tro nesaf," meddai Nel, gan edrych ar y gacen sbigoglys ac yna ar y gacen siocled.

"Dwi'n dda am goginio cacennau. Ti'n cofio pan wnes i gacen ben-blwydd?"

Roedd Dad a Mam a Twm a Mister Fflwff yn cofio cacen ben-blwydd Nel yn iawn. Roedden nhw'n cofio iddi ddihuno am chwarter wedi tri y bore… a doedd hi ddim yn ddiwrnod pen-blwydd Nel o gwbwl.

"Wnes i dy helpu di, Mam."

"Do. Ond wnest ti olchi dy ddwylo?"

"Naddo. Dyw'r *chefs* gorau byth yn golchi eu dwylo! Galla i helpu ti i goginio cacen i'r sioe blwyddyn nesaf. 'Fydde cacen Mam ddim gwaeth petaet ti'n helpu, Nel.' Dyna beth ddwedaist ti, ontefe Dad?"

"Shh nawr! Mae'r beirniad yma." Sychodd Dad y chwys oddi ar ei dalcen. "Pob lwc, Mam!" Rhoddodd gusan ar foch Mam.

"Hmm." Trodd Mam ei phen.

Edrychodd Nel a Barti ar y bwrdd o'u blaenau.

Edrychodd Nel a Barti ar ei gilydd.

"Croesi bysedd, Mam." Rhoddodd Dad ei fraich am ysgwyddau Mam.

Ond doedd Mam ddim mewn hwyliau cwtsho.

"Ac mae'r wobr gyntaf yn mynd i… rif 57, y gacen siocled orau dwi wedi ei blasu erioed!… Ble mae'r gacen orau?" gofynnodd y beirniad.

Dechreuodd pawb edrych o'u cwmpas, gan sibrwd a phwyntio bys.

“Nel, wyt ti’n gwybod ble mae’r gacen siocled?” gofynnodd Dad.

Gwenodd Nel – gwên fawr frown.

“Dwi eisie mynd adref.” Roedd hwyliau Mam mor sur â’r hufen ar y gacen sbigoglys.

“Man a man i ni aros i weld uchafbwynt y sioe – y dywysoges ar gefn y lori,” meddai Dad yn dyner.

“Nel? Barti?… O! Ble maen nhw nawr?”

“Mae’r lori ar ei ffordd. Efallai eu bod nhw wedi mynd i weld Tywysoges y Sioe.”

Pasiodd y lori. Roedd Dad a Mam yn gegrwth. Eisteddai Nel ar orsedd y Dywysoges. Wrth ei thraed roedd

Barti Blin… ar ei bedwar… yn goch fel tân… ac yn udo fel ci. Ac ar gôl Nel eisteddai cath flewog gyda thiara ysblennydd ar ei phen.

"Mam? Ydy cystadleuaeth yn beth iach?" gofynnodd Nel ar y ffordd adref yn y car.

"Ydy."

Roedden nhw newydd fynd â Barti Blin yn ôl i'w dŷ ac roedd cyfuniad o flinder a rhyddhad yn cynhesu Mam fel potel dŵr poeth.

"Pam ham ddechreuaist ti dagu, 'te? Ti'mod, pan gafodd mam Cai Cwestiwn y wobr gyntaf am y gacen orau?"

Pennod 4

Roedd hi fel sw yn y stafell ddosbarth.

Roedd cŵn yn cyfarth.

Cathod yn mewian.

Ieir yn clwcian a chaneri'n canu 'Mae Hen Wlad Fy Nhadau'.

Am unwaith, nid y plant oedd yn euog o greu'r halibalŵ direidus.

"Beth yn y byd ydych chi'n meddwl chi'n ei wneud?" gofynnodd Miss Morgan yn syn. Siglodd ei gwallt coch siâp bòb. Crychodd y brychni ar ei thrwyn.

"Cyflwyno'r gwaith cartref," atebodd Gwern Gwybod Popeth.

"Pa waith cartref?" gofynnodd Alys Anghofus.

"Gwaith cartref?!" (Hoffai Miss Morgan petaen nhw wedi gadael y gwaith hwn adref.)

Thema'r tymor
'Anifeiliaid'

Estynnodd Nel y tanc pysgod i bawb gael gweld Plop yn iawn.

"Roedd gen i gi pan o'n i'n blentyn. A dweud y gwir, fyddwn i ddim yma oni bai am y ci," meddai Nel.

"Pam?" Cwestiwn Cai Cwestiwn oedd hwn.

"Pam ham?" Anadlodd Nel yn ddwfn. "Daeth blaidd mawr cas un diwrnod. Roedd ganddo ewinedd hir fel cyllyll a dannedd miniog fel picelli. Gwelodd fi'n cysgu'n dawel yn y crud. Meddyliodd, 'Mmm. Swper blasus!'

"Byddai'r blaidd wedi fy rhwygo i'n ddarnau mân. Ond gwelodd y ci beth roedd y blaidd mawr cas am ei wneud. Neidiodd ar y blaidd a dechreuon nhw ymladd yn ffyrnig.

Roedd gwaed ym mhob man—"

"Mae'r stori hon yn canu cloch, Nel…" meddai Miss Morgan.

"Mae'r stori hon yn canu SAWL cloch, Nel," meddai Gwern Gwybod Popeth.

"Oedd enw gan y ci?" mentrodd Siw Bw-Hw. (Roedd y stori wedi ei dychryn.)

"Gelert," atebodd Nel a Miss Morgan a Gwern Gwybod Popeth gyda'i gilydd.

"Dwi ddim yn dy gredu di. Dwi ddim yn credu dy fod ti'n cysgu'n dawel yn y crud…" meddai Gwern Gwybod Popeth.

"Dyw straeon ddim i fod yn wir, sili bili. Dyna pam y bydda i bob amser yn defnyddio fy nychymyg wrth adrodd stori. Mae pawb yn dweud bod gen i ddychymyg byw. A does arna i ddim ofn ei ddefnyddio."

"Diolch, Nel. Ond beth mae'r anifeiliaid hyn yn ei wneud yn y stafell ddosbarth?"

"Thema'r tymor – anifeiliaid," atebodd Nel. "Chi ddwedodd, Miss – dewch ag anifail i'r ysgol."

"Dewch â LLUN o anifail i'r ysgol ddwedais i. Beth nesaf? Buwch yn ysgrifennu ar y bwrdd gwyn?"

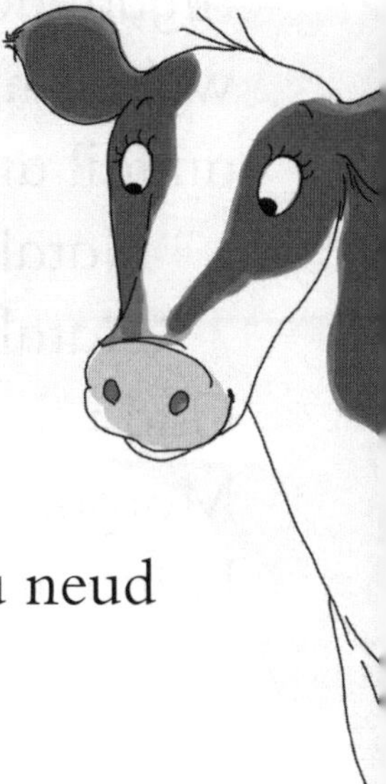

"O, mae hi tu fas, Miss." Roedd Deio Gewin Melyn yn dal i wisgo'i oferôls a'i welingtons. Roedd oglau iach y fferm yn codi oddi arnyn nhw. "Mae Dad yn gweud bod rhaid godro'r fuwch cyn dod â hi mewn. Neu bydd hi'n tasgu llaeth a neud pw-pw a pi-pi ym mhob man."

"Fi'n gwbod cân am wneud pw-pw a pi-pi ym mhob man!" gwaeddodd Nel.

"TAWELWCH!" Gwnaeth Miss Morgan ei gorau i weiddi'n groch.

"Mae llun 'da fi, Miss," meddai Dyta Dawel mewn llais bach.

"O'r diwedd. Mae un person wedi gwrando ac wedi dod â LLUN anifail anwes i'r ysgol." Roedd yn rhyddhad mawr i Miss Morgan wybod hynny. "A beth yw enw dy anifail anwes di, Dyta?"

"Natalia."

"Natalia? Yr un enw â dy chwaer? Gad i fi weld..." Astudiodd Miss Morgan y llun. "Dal sownd! Dim llun o anifail yw hwn!"

“Na, llun o fy chwaer yw e, yn Krakow. Mae Dad yn dweud ei bod hi fel mwnci bach.”

Dechreuodd pawb chwerthin yn afreolus. Byddai llai o sŵn gan haid o hyenas gydag uchelseinydd.

“Dwi eisie ci,” meddai Nel dros ben y dwndwr.

Meddai Lliwen Llyfrau, “Dwi eisie cath. Ond mae gan Mam alergedd i flew cath. Mae hi’n tisian dim ond iddi weld cath – hyd yn oed llun cath mewn llyfr. Atishww! ATISHWW!”

“Ddim dros gyfrifiadur y dosbarth, Lliwen!” bloeddiodd Miss Morgan.

“Fydd hi byth yn prynu cath i fi pan mae’n siopa yn Morrisons. A dwi’n drist!”

Fflachiodd llygaid Nel. “Dwi wedi cael syniad! Y syniad gorau o fan hyn i Sioe Aber-wrach!”

Epilog

"Mae gen i newyddion da! Dwi ddim eisie ci." Roedd Nel gartref o'r ysgol.

Diolch byth am hynny, meddyliodd Dad a Mam. Roedd Dad yn y gegin yn llosgi *fish fingers* o dan y gril. Roedd e'n coginio bob dydd ers Sioe Aber-wrach, chwarae teg.

"Beth mae hi eisie nawr – y twrch trwyth?" gofynnodd Dad dros ben sŵn y larwm dân.

"Ges i syniad ysgubol yn yr ysgol…" meddai Nel.

Rhoddodd Mam ei phaned ar y bwrdd a thrio cael gwared â mwg llosg y *fish fingers* gyda chopi o *Golwg*.

"... Trwco anifeiliaid! Mae Plop y pysgodyn wedi mynd i fyw gyda Barti Blin."

"Duw a'i helpo," mwmialodd Dad.

"Ac mae ganddon ni aelod newydd o'r teulu."

Aeth Nel allan o'r stafell am funud. Daeth hi 'nôl ymhen dim, yn gyffro i gyd. "Croeso i Siani'r Shetland!"

Edrychodd Dad a Mam a Twm a Mister Fflwff mewn dychryn. Safai'r ceffyl bach yn y stafell fwyta, yn chwifio'i ben a'i gynffon i bob cyfeiriad ac yn gweryru "Helô".

Edrychai Nel ar ben ei digon. "Beth amdani?"

Mewiodd Mister Fflwff a gwaeddodd y tri arall fel un, "NA, Nel!"

Beth yw cam? 'Cam' yw rhywbeth sy'n digwydd i berson pan mae'n colli yn Eisteddfod yr Urdd.

"Ges i gam!"

Pennod 1

"Oes gafr eto?
Oes, smo ti'n gwrando?!"

"Nel, ydy'r brwsh dannedd YN dy geg di? Cofia, mae'n rhaid rhoi'r brwsh YN dy geg i frwsio dannedd."

Meddyliodd Dad faint o oriau y byddai'n eu harbed mewn blwyddyn petai Nel yn gwrando arno'r tro cyntaf. Nel yn gwrando'r tro cyntaf? Wel, gallai ddringo'r Wyddfa! Gwibiodd bwled arian heibio a dihuno Dad o'i freuddwyd.

"Nel, beth wyt ti'n ei wneud?"

Pam roedd Dad hyd yn oed yn

gofyn y cwestiwn? Doedd e ddim yn siŵr. Doedd e ddim eisiau clywed yr ateb. Roedd e'n siŵr o hynny. Byddai Nel yn gwneud pethau nad oedd Dad a Mam eisiau ei gweld hi'n eu gwneud. Anaml iawn y byddai hi'n gwneud rhywbeth roedden nhw eisiau ei weld, fel trio bwyd newydd – ddim heb rhyw drafod mawr.

"Mae'n amlwg beth dwi'n ei wneud, Dad – sili bili." Siglodd Nel lond pen o wallt sbrings aur o un ochr i'r llall wrth iddi rasio ar hyd y landin ar y sgwter arian – y sgwter arian oedd i fod ar gyfer y tu allan yn unig. Roedd hi'n llywio'r sgwter gyda'i llaw chwith ac yn dal brwsh dannedd yn ei llaw dde. Ac, am unwaith, roedd past dannedd ar y brwsh. O dan ei chesail chwith roedd y gêm Dannedd Teg. Dechreuodd ganu, "Dwi'n mynd 'nôl i Flaenau Ffestiniog. Dwi'n dala'r trên cynta mas o'r dre – mas o'r dre!" Saethodd ei braich chwith i'r awyr. Gollyngodd y gêm yn glewt ar lawr a thasgodd y dannedd bach plastig i bob man.

"Wyt, mi wyt ti'n canu. Ond oes raid canu mor… mor…?" Chwiliodd Dad am air addas i ddisgrifio'r sŵn crawcian oedd yn dod o geg Nel.

"Oes rhaid canu o gwbwl?" meddai Twm o dan ei anadl wrth ddrws ei stafell wely.

"Dwi'n MWY na chanu. Dwi'n YMARFER…"

"Wyt ti?" Teimlodd Dad law oer yn gafael yn ei galon. Roedd ar ei

Twm
Dan
Teg

liniau yn casglu'r dannedd bach ac roedd arno ofn. "Ymarfer ar gyfer beth, Nel?"

"Roedd cly-ly-ly-ly-weliad heddiw ar gyfer côr yr ysgol. La-la-la-la-la!" canodd Nel yn hyderus. "A dw I wedi cael fy newis i ganu yn y côr – ar fy mhen fy hun!"

"Gest ti dy ddewis?" Crychodd Dad ei dalcen.

"Do."

"Ar ôl iddyn nhw dy glywed di'n canu?"

"Do. Ces i fy newis achos bod gen i lais mawr… Llais clir… Llais sy'n cario yr hoooooll ffordd o'r llwyfan… i gefn y neuadd."

"Waw, Nel." Synnodd Twm ei hun trwy ganmol ei chwaer fach fywiog.

"Ie. Da iawn, Nel. Da iawn wir."

Doedd Dad ddim yn siŵr o hyd.

"Dwi'n enwog am fy llais canu, achos dwi'n Gymraes. Ac rydyn ni'r Cymry i GYD yn enwog am ganu."

"Dwi ddim yn enwog am ganu. Mae'n well gen i gicio pêl rygbi," meddai Twm.

"Sdim gobaith i ti, 'te," meddai Nel. "Reit, nos da, bawb."

Daeth Mam lan y staer â'i breichiau'n llawn dillad glân. Bu bron iddi lewygu. Oedd Nel yn dewis mynd i'r gwely – heb ofyn iddi, heb bledio gyda hi, ar ei gliniau, gan gynnig cildwrn o ryw fath: "Plis, Nel! Gei di raff sgipio newydd os ei di i gysgu cyn hanner nos"?

"Mam, dy dro di yw hi heno," meddai Nel, gan gyfeirio at y drefn amser gwely. "Ond falle bydd rhaid i TI ddarllen stori i FI heno. Dwi'n gorfod gofalu am fy llais. Mae'r côr yn cystadlu yn Eisteddfod yr Urdd mewn pythefnos."

Amser brecwast roedd Nel wrthi'n ymarfer o hyd – a chrensian tost ar yr un pryd. Roedd briwsion yn tasgu i bob man. (Anaml y byddai Nel yn gwneud un peth ar y tro.)

"Gafr fêl, fêl, fêl.
Ie, tost fêl, tost fêl, tost fêl.
Ar dy ban-cws,
Ar dy ban-cws,
Ac ar dy uwd a chrwmpe-e-e-e-d.
Mêl neis, neis."

Roedd Nel yn taenu Nutella dros y mêl erbyn hyn.

"Wyt TI'n mynd i ddweud wrthi, neu oes raid i FI?" Edrychodd Mam ar Dad.

"Fe wnawn ni ddweud wrthi gyda'n gilydd."

Ond sut? Sut roedd dweud wrth Nel fod ganddi lais fel brân?

"Sut mae Mr Bois y dyddiau hyn?" gofynnodd Dad.

"Fel y boi, diolch yn fawr," atebodd Nel gan ddangos ei dannedd, yn Nutella i gyd.

Roedd Mr Bois, arweinydd y côr, yn hen iawn, iawn. Roedd e yn ei bedwardegau – o leiaf. Roedd rhai o'r plant yn ei alw'n Bendigeidfran, achos ei fod e'n gorrach bach o ddyn gyda gwallt brown syth y byddai'n ei glymu'n ôl fel cynffon ceffyl. Roedd e'n dysgu Blwyddyn 6, ond byddai'n cael help Mrs Siarp, athrawes Dosbarth Derbyn, i 'gyfeilio' – sef gair *posh* am chwarae'r piano. Doedd Nel ddim yn siŵr pa mor hapus oedd Mrs Siarp yn cyfeilio i Mr Macsen Bois. Roedd hi'n athrawes dda. Roedd ganddi feddwl miniog fel cyllell. Byddai hi'n chwarae nodyn anghywir weithiau, a byddai Mr Bois yn gwgu arni. Roedd e'n dda iawn am wgu, ac am godi ei lais. Roedd ar rai o'r plant ei ofn. Ond doedd ar Nel ddim o'i ofn o gwbwl.

"Ti'n siŵr ei fod e wedi dy ddewis DI i fod yn y côr?" Roedd Mam yn rhoi'r Nutella yn saff yn y cwpwrdd.

"O, ydy. Gynigiais i ganu unawd—"

"Na, Nel!" bloeddiodd Dad a Mam.

"Pam ham? Gynigiais i ganu unawd achos bod Mam a Dad wastad yn dweud fy mod i 'ar fy mhen fy hunan'…"

"A beth oedd ateb Mr Bois druan?"

"Dyma ran fwyaf cyffrous y stori." Anadlodd Nel yn ddwfn, yn ddramatig. Roedd ei llygaid fel dwy seren. "Pan gynigiais i ganu unawd, dywedodd Mr Bois fy mod i'n BENDANT yn well yn y côr."

Pennod 2

Dros y dyddiau nesaf, bu llawer o drafod…

"Wyt ti'n deall bod yna reolau mewn côr…?" Roedd Dad yn pori ar y laptop, yn chwilio am rywfaint o newyddion da yn y byd. "Mae canu mewn côr yn gyfrifoldeb," meddai.

"Beth yw 'cyfrifoldeb'?" Roedd Nel yn trio sefyll ar un goes a sefyll ar y sgwter ar yr un pryd (y sgwter tu-allan-yn-unig). Roedd hi wedi cwympo ar ei phen-ôl ddwywaith ac roedd hynny'n gwneud iddi chwerthin yn iach.

"Wel, 'cyfrifoldeb' yw pan mae rhywun yn ymddwyn mewn ffordd aeddfed iawn er mwyn—"

"Beth yw 'ymddwyn'? A beth yw 'aeddfed'?"

Caeodd Dad y cyfrifiadur.

"Gwranda, Nel, mewn côr mae'n rhaid canu'r un geiriau â phawb arall…

Mae'n rhaid canu'r un dôn, yr un gân â phawb arall…

Mae'n rhaid gwrando…

A sefyll yn llonydd…"

Gwyliodd Dad ei ferch, fel jeli un goes ar blât y sgwter.

"Nid ti sy'n bwysig, ond y côr…" meddai.

"Ie, ie, ie. Fi'n gwbod," atebodd

Nel, fel y byddai hi'n gwneud pan nad oedd hi eisiau clywed.

Ochneidiodd Dad. Petai e'n gwybod cymaint â Nel byddai'n gallu ysgrifennu nofel.

"Mae'n ddiwrnod braf heddiw. Beth am fynd allan i chwarae yn yr awyr iach, Nel?" Rhoddodd Mam y gorau i drio anfon e-bost gwaith. Roedd yn anodd. Roedd gan Nel gopi o gân yr eisteddfod ac roedd hi'n canu nerth ei hysgyfaint. Ac roedd LOT o nerth yn ysgyfaint Nel. "Beth am gael gwared ar yr egni naturiol sy'n llenwi dy gorff?"

Siglodd Nel ei phen, a'i chyrls, yn benderfynol. "Dwi'n Gymraes. Yn y côr mae fy lle i. Rhwng Charlotte Church a Katherine Jenkins."

Dyna ryfeddod i Mam! Oedden nhw yn y côr hefyd?

Mr Macsen Bois gafodd y syniad gorau.

"O hyn ymlaen, mae'n rhaid i BOB aelod o'r côr fwyta ffrwyth cyn canu."

"Pam ham?" gofynnodd Nel mewn braw. Doedd arni ddim ofn Mr Bois, ond roedd hi wedi dychryn wrth glywed y newyddion am fwyta ffrwythau.

"I iro'r llais."

"Beth yw 'iro'?" gofynnodd Cai Cwestiwn.

“Dwi’n gwbod,” atebodd Gwern Gwybod Popeth. “Mae Dad a Mam yn iro’r llais wrth wylio *The Voice* bob nos Sadwrn.”

Crychodd Nel ei thrwyn fel petai oglau cas yn y stafell. Roedd hyn yn gwbwl annisgwyl. Roedd hi’n gyfarwydd iawn â ffrwythau. Roedd hi’n cael un ffrwyth ar gyfer amser tocyn yn ei bag bob dydd. Ond roedd hi’n bencampwraig ar gael gwared ar y ffrwyth, a hynny heb orfod ei fwyta fel pawb arall. Doedd Nel ddim yn un i wneud yr un peth â phawb arall.

Osgoi bwyta ffrwythau – Esgusodion gorau Nel

- Fi yw ffrind gorau yr adar bach. (Ydyn, mae adar yn mwynhau bwyta ffrwythau!)
- Maen nhw'n wrtaith da i ardd yr ysgol.
- Dwi'n helpu Barti Blin. Mae Barti eisiau bod yn y *Guinness Book of Records*. Faint o rawnwin ydych chi'n gallu eu rhoi yn eich ceg ar yr un pryd?
- Fyddai Mair Mwyn byth yn gwrthod unrhyw beth i fi, hyd yn oed bwyta ffrwythau sy'n dod o'r gofod, fel eirin bach glas. Ac mae Dyta Dawel fel aderyn bach – mae'n hoffi ffrwythau.

Pennod 3

Roedd rhestr o bethau gan Mam yn ei phen. Ac roedd hi'n meddwl am y peth nesaf ar y rhestr ar ôl bod â Nel i'r ysgol. Ond wrth iddi ddianc gwelodd Mr Macsen Bois ger ystafell ddosbarth Blwyddyn 6. Edrychodd Mam i lawr ar Mr Bois (achos ei faint) ac edrychodd Mr Bois lan ar Mam. Cyn i'r corrach bach gael cyfle i ddweud gair, aeth Mam amdani. "Rydyn ni'n falch iawn, iawn bod ein merch yn cael cyfle i ganu yn y côr."

"Eich merch?" Doedd Mr Bois ddim yn gwisgo sbectol. Roedd e'n gweld yn iawn. Ond roedd hi'n amlwg nad oedd ganddo'r syniad lleiaf pwy oedd hi.

"Ie, Nel, ein merch." Tynnodd Mam ei siaced yn dynnach amdani.

"O, chi yw mam Nel!" Gwenodd. Yna, diflannodd y wên yn syth.

"Ie, dyna chi. Mae Nel yn mwynhau yn y côr."

"Mae'n amlwg ei bod hi wrth ei bodd o flaen cynulleidfa." Dewisodd Mr Bois ei eiriau'n ofalus, fel pob athro profiadol.

"O, ydy, wrth ei bodd." Roedd Mam yn hen law ar wylio 'sioeau' Nel.

"Mae'n frwdfrydig iawn."

"Ydy, mae'n llawn brwdfrydedd o hyd." Heblaw pan mae'n gwneud ei gwaith cartref, meddyliodd Mam.

"Ac mae'n berfformwraig heb ei hail."

"Rydyn ni'n mynd o un perfformiad i'r llall bob dydd a nos," nodiodd Mam. Oedd Mr Bois yn canmol Nel? Roedd Mam yn dechrau teimlo'n falch iawn o'i merch. Doedd hynny ddim yn digwydd yn aml. Teimlai Mam yn siomedig ynddi hi ei hun. Roedd angen iddi roi mwy o gyfle i Nel efallai.

"Y cam nesaf, wrth gwrs, fydd ymdoddi ag aelodau eraill y côr." Anelodd Mr Bois ei saeth gyntaf.

"Ymdoddi?"

"Ie, 'na chi. Cyd-ganu, fel un llais. Dyna gyfrinach côr da. Rwy wedi bod yn arwain côr yr ysgol ers i mi ddod o'r coleg, dros ugain mlynedd yn ôl…"

"Ydych chi'n trio dweud bod Nel ni'n canu mas o diwn?" Anelodd Mam ei saeth ei hun.

"Ddim o gwbwl, ddim o gwbwl. Nid dyna roeddwn i'n ei ddweud o gwbwl." Aeth Mr Bois yn ei flaen. "On'd yw e'n wych yr holl gyfleoedd mae'r Urdd yn eu cynnig i blant heddiw? Nofio, coginio, sgio… Does dim rhaid i bawb ganu mewn côr…"

Fel arfer roedd rhieni Nel yn dda iawn am wrando ar feiau eu merch. Roedden nhw hefyd yn gallu meddwl am un neu ddau o feiau eraill. Ond heddiw fe wnaeth Mam rywbeth doedd hi ddim yn ei wneud yn aml iawn – amddiffyn Nel.

"Gwych iawn, Mr Bois. A llongyfarchiadau i chi ar ugain mlynedd fel arweinydd côr yr ysgol. Mae'n bwysig bod PAWB yn cael cyfle i ganu yn y côr. Hyd yn oed Nel."

Bu'n amser cinio hir i Mr Bois, yr arweinydd, ac i Mrs Siarp ar y piano.

Roedd Mr Bois wedi rhoi Nel yn y rhes ffrynt. Reit o'i flaen. I gadw llygad arni. Roedd yn gobeithio y byddai ei gorff yn wal i stopio rhai o synau Nel. Ond roedd e'n dechrau meddwl bod hynny'n gamgymeriad. Roedd Nel mewn lle da iawn i'w ateb – a byddai'n gwneud hynny hyd yn oed pan nad oedd yn gofyn cwestiwn.

"Mae'n bwysig bod pawb yn EDRYCH arna i." Cododd Mr Bois ei freichiau yn barod i arwain.

"Pam ham?"

"Achos fi yw'r arweinydd. Yr un sy'n arwain." Dawnsiodd ei fysedd fel pili-palod.

Crychodd Nel ei thrwyn.

"Ac mae'r un mor bwysig eich bod yn GWRANDO ar Mrs Siarp ar y piano."

"Pam ham?"

"Achos hi fydd yn canu'r alaw. Y rhan fwyaf o'r amser, ontefe Mrs Siarp?"

Edrychodd Mrs Siarp ar Mr Bois dros ei sbectol hanner lleuad. Yna, gwthiodd y sbectol i fyny ei thrwyn hir a dechrau chwarae'r piano cyn i Mr Bois ofyn iddi.

Roedd sawl sŵn annisgwyl yn yr ymarfer côr. Roedd Barti Blin wrth ei fodd yn bwyta ffrwythau. Fel arfer, byddai ei rieni yn rheoli faint o ffrwythau roedd Barti yn eu bwyta mewn diwrnod. Roedd gormod o ffrwythau'n rhoi'r gwynt rhyfeddaf i Barti.

Gallai Nel 'ganu' fersiwn anarferol iawn o 'Mi Welais Jac y Do' drwy dorri gwynt yn unig. Ond tra oedd Nel yn torri gwynt o'i cheg, roedd fersiwn torri gwynt Barti yn dod o gyfeiriad hollol wahanol. Os oedd cân Nel yn dod o ogledd Cymru, roedd cân Barti yn dod o'r Gorllewin Gwyllt.

Aeth Mr Bois allan o'r neuadd ar un adeg a phan ddaeth yn ôl roedd Miss Morgan gydag e. Doedd Nel ddim yn deall pam ham, achos ddywedodd Miss Morgan ddim byd. Dim ond eistedd, a gwrando, a rhwbio ei thalcen coch, fel ei gwallt, bob hyn a hyn, fel petai ganddi ben tost.

Ddaeth Miss Morgan ddim yn ôl i'r dosbarth ar ôl cinio. A chafodd Mr Macsen Bois ei hun mewn sefyllfa anarferol – yn rhoi gwers hanes i ddosbarth Nel. Doedd e ddim wedi cael cyfle i baratoi. Felly, roedd yr arweinydd yn falch, am unwaith, o gael ei arwain gan bobol eraill. Cai Cwestiwn gafodd y syniad – clywed y chwedl Gymraeg am y Macsen arall, yr enwog Macsen Wledig.

"Roedd Macsen yn dipyn o foi. Roedd e'n ymladdwr cryf. Ac yn Ymerawdwr Rhufain."

"Mae Rhufain yn yr Eidal," meddai Nel.

"Ydy, da iawn, Nel. Ateb cywir." Roedd Mr Bois yn dechrau mwynhau ei hun.

"Doedd e ddim yn dod o Gymru, 'te – ddwedoch chi mai stori o Gymru oedd hon."

"Nag oedd. Doedd e ddim yn dod o Gymru. Ond, yn ôl rhai pobol, fe briododd e'r dywysoges Elen o Gymru..."

"A beth mae pobol eraill yn dweud?" gofynnodd Nel.

"Mai breuddwydio roedd Macsen. Doedd e ac Elen erioed wedi cwrdd â'i gilydd." Roedd Mr Bois yn trio'i orau i esbonio'r hanes mewn ffordd ddiddorol.

"Sut gallen nhw briodi, os nad oedden nhw wedi cwrdd â'i gilydd?" Roedd Nel yn trio'i gorau i ddeall.

"Skype, *obviously*." Roedd Gwern yn gwybod pob peth.

Roedd Nel yn mwynhau ei hun. "Ydych chi'n briod, Mr Bois? Ydych chi wedi cwrdd â'ch tywysoges Elen chi?"

Chwarddodd Mr Bois. Roedd e'n gwybod digon i osgoi ateb

cwestiynau anodd. "Wel, y, dewch i ni estyn ein llyfrau sgrifennu—"

"Chi'n eithaf hen i fod yn ddibriod," agorodd Barti Blin ei geg wrth dynnu pensil seimllyd o'i drwyn a'i gynnig i Nel.

Derbyniodd Nel y cynnig. "Chi'n gwbod beth ddwedodd mam Cai? Mae'n hen bryd i chi ymddeol."

Dechreuodd pawb chwerthin yn groch – pawb ond Mr Bois a Cai Cwestiwn.

Pennod 4

Pan ddaeth yr eisteddfod roedd Nel yn ddwl bost. Roedd hi wedi cael rhan bwysig iawn gan Mr Bois – rhan na chafodd yr un aelod arall o'r côr. Tra oedd gofyn i bawb arall ganu'n "naturiol", roedd Mr Bois wedi gofyn iddi hi, Nel, ganu'n "dawel bach, bach". Roedd hynny'n siwtio Nel i'r dim. Lot llai o waith na chanu go iawn. Ac roedd yn golygu ei bod hi'n gallu arbed ei llais enwog ar gyfer achlysuron llawer mwy pwysig nag eisteddfod. Pwy a ŵyr pryd fyddai Simon Cawl ar y ffôn?

Roedd Nel yn llawn egni erbyn y rhagbrofion. Roedd hi'n teimlo'n bwysig iawn, achos roedd yr eisteddfod wedi gofyn iddi ganu ddwywaith. Unwaith yn y rhagbrofion (y peth cyntaf yn y bore! Ro'n nhw'n methu aros i'w chlywed hi, mae'n amlwg.) a'r ail waith ar y llwyfan. A byddai camerâu teledu yn ei ffilmio bryd hynny.

Cafodd Nel frecwast anarferol iawn y bore hwnnw. Doedd Mam a Dad ddim yn teimlo y gallen nhw wrthod, gan bod Nel yn mynnu mai dyna oedd cais arbennig Mr Macsen Bois i aelodau'r côr i gyd.

"Ti'n siŵr, Nel fach? Ydy Mr Bois am i bawb

gael Fruit Shoot a brechdan Nutella i frecwast?" Roedd hi'n gynnar iawn, yn rhy gynnar i Dad ddadlau.

Roedd Nel ar ei thrydydd Fruit Shoot erbyn iddi gyrraedd y rhagbrawf.

"Dwi ddim yn meddwl ei fod e'n ffrwyth go iawn, ti'mod," sibrydodd Mair Mwyn wrth iddyn nhw fynd i mewn i'r rhagbrawf.

"Beth?"

"Fruit Shoot." Doedd Mair Mwyn ddim yn meddwl hynny'n gas.

Roedd yn syniad gwych, penderfynodd Nel – yn ffordd o wrando ar Mr Bois trwy fwyta ffrwyth cyn canu, heb fwyta ffrwyth o gwbwl. Roedd hi'n cael FRUIT Shoot.

"Gofynnais i i Miss Morgan – a dydy hi ddim yn cyfri Fruit Shoot fel un o'i *five a day*," meddai Mair.

Dyfalai Nel fod Mair yn mynd ymlaen ac ymlaen ac ymlaen am hyn oherwydd bod ei mam hi'n ei gorfodi i drio ffrwyth gwahanol bob dydd. Ych a fi.

Roedd golwg fach nerfus ar Mr Bois wrth iddo sefyll o flaen y côr, a'i gefn at y beirniad. Mewn ugain mlynedd o gystadlu, doedd côr Ysgol Pen-y-daith erioed wedi cael llwyfan. Roedd Mr Bois yn beio rhyw ysgol Gymraeg o'r De. Nhw oedd yn ennill bob blwyddyn, diolch i athro ifanc a cherddorol iawn. Ond am ryw reswm, roedd Mr Bois yn teimlo'n lwcus eleni – nes iddo glywed côr eleni'n canu, hynny yw.

"Pob chwarae teg nawr i gôr Ysgol Pen-y-daith." Roedd mwydyn mewn siwt yn llywio'r rhagbrawf.

Rhoddodd Mr Bois ei fys o flaen ei geg. Barti Blin, Mair Mwyn, Dyta Dawel… Roedd bron pawb yn edrych arno. Clywodd Nel y piano. Daeth teimlad od drosti. Roedd hi'n methu rhoi ei bys ar y peth. Yna, sylweddolodd yn sydyn.

"Pi-pi," meddai'n dawel.

"Beth?" gofynnodd Mr Bois.

Anadlodd y côr fel un, yn barod i ganu'r geiriau cyntaf.

Gwaeddodd Nel, "Dwi eisie pi-pi! Nawr! PI-PI!!!"

"Mae Ysgol Pen-y-daith wedi cael llwyfan?!" Roedd tân yn llygaid Mr Bois. Roedd Macsen, yr hen ryfelwr, yn barod amdani. "Ymlaen â ni!" gwaeddodd.

Tra oedd Nel yn y tŷ bach, roedd y côr wedi canu'n well nag erioed.

"Paid â phoeni, Nel fach. Mae'n bwysig yfed i iro'r llais. Felly cofia di yfed digon cyn ein bod ni'n canu ar y llwyfan." Rhoddodd Mr Bois winc iddi.

Cafodd Nel amser wrth ei bodd ar faes Eisteddfod yr Urdd. Prynodd gandi fflos tebyg i'w gwallt – ond ei fod yn binc. "Ga i wallt pinc, Mam?" gofynnodd wrth stwffio'r siwgr i'w cheg.

Ac roedd y toiledau'n ffantastig. Doedd dim sebon i olchi dwylo. Ac roedd mwd ym mhobman!

Roedd hi bron yn amser mynd ar y llwyfan. Ar y Maes, yn yr awyr agored, roedd Mr Bois newydd orffen ymarfer am y tro olaf. Ac roedd Nel yn llawn egni… a chandi fflos a Fruit Shoot.

"Dwi wedi gwneud penderfyniad," sibrydodd Nel wrth Barti Blin (roedd Mr Bois wedi gofyn iddyn nhw fod yn dawel sawl gwaith yn barod). "Dwi'n mynd i ganu y tro yma."

"Dwyt ti ddim i FOD i ganu." Daeth nodyn fflat iawn o ben-ôl Barti.

"A dwyt TI ddim i FOD i fwyta gormod o ffrwythau."

"Dwi heb. Mae digon ar ôl."

Gwenodd Nel.

"Mae hyn yn gyfle ffantastig i ennill dau gant a hanner o bunnoedd," meddai Nel wrth Barti yn llawn cyffro y tu ôl i'r llwyfan.

"Dyw'r eisteddfod ddim yn talu neb i ganu," atebodd Barti. "Ni sy'n talu'r eisteddfod – i ddod i'r Maes, ac i fwyta cŵn poeth, a losin, a *donuts*—"

"A ffrwythau. Ond maen nhw'n talu'n dda ar *You've Been Framed!*," gwenodd Nel – gwên fawr, ddireidus.

Roedd yn wers i'r athro. Hyd yn

oed i hen law fel Mr Bois. Fe ddylai fod wedi holi Nel pam roedd hi mor frwd dros fwyta ffrwythau. Ond yn lle hynny, gofynnodd iddi, "Wyt ti eisiau tŷ bach?" pan oedden nhw'n barod i gamu ar y llwyfan.

Roedd Nel wedi treulio oriau yn y tai bach y diwrnod hwnnw.

"Na," atebodd. "Mae Cymru eisie fy nghlywed i'n canu."

"Nesaf i ganu ar y llwyfan – Ysgol Pen-y-daith," meddai'r fenyw mewn ffrog ddrud. (Roedd hi'n arfer cyflwyno rhaglen deledu.)

Yn ystod y pennill cyntaf, cyflwynwyd deuawd wahanol iawn i Eisteddfod yr Urdd. Deuawd tennis taflu afalau. A'r cystadleuwyr cyntaf oedd merch fach gyda gwên ddrwg o'r enw Nel a'i ffrind gorau, Barti Blin.

“Perfformiad heb ei ail,” meddai’r beirniad.

Ond trydydd oedden nhw.

Allan o dri.

Epilog

"Ges i gam!"

"Paid â gweiddi, Nel fach. Rydyn ni i gyd yn gallu dy glywed di'n glir yn yr Audi."

Roedd Nel, Twm, Mam a Dad yn y car, mewn ciw i adael y maes parcio. Roedd y ciw'n ANFERTH. Roedd Nel yn dechrau meddwl nad oedd unrhyw un yn hoffi Eisteddfod yr Urdd. Roedd gweddill y teulu'n breuddwydio am gar mwy. Roedden nhw wedi bod yn ail-fyw'r diwrnod – trwy ganeuon Nel.

"Mae trydydd yn dda… yn dda iawn, o gofio…" Doedd Mam ddim eisiau cofio'r arswyd a deimlodd wrth weld ei merch yn taflu afalau ar lwyfan Eisteddfod yr Urdd.

"Olaf," chwarddodd Twm yn gas.

"Nag o'n ddim!" Cododd Nel ei dyrnau.

"Cymryd rhan sy'n bwysig," torrodd Dad ar draws y cwympo mas.

"Nid dyna beth ddwedodd Mam ar ôl colli yn y Sioe Fach Fawr," poerodd Nel.

"O'r diwedd. Rydyn ni'n symud." Cychwynnodd Dad injan y car am y tro cyntaf ers hanner awr dda.

"Bydd arian gyda ni nawr – i fynd i'r eisteddfod blwyddyn nesaf."

"Arian?" mwmialodd Mam.

"Arian gan *You've Been Framed!*"

Roedd Nel wedi bod yn teimlo'n grac. Ond, yn sydyn, daeth teimlad gwahanol yn ei le. Roedd hi wedi ei deimlo o'r blaen. Symudodd y car yn ei flaen yn araf bach. Cofiodd Nel pryd oedd y tro diwethaf iddi deimlo fel hyn – yn y neuadd y bore hwnnw, pan oedd y côr yn barod i ganu yn y rhagbrawf.

"Dwi'n gallu gweld y ffordd fawr!" gwenodd Dad.

"Haleliwia!" canodd Mam.

"Cŵl," mwmialodd Twm.

"Stopa'r car, Dad!" gwaeddodd Nel. "Dwi eisie pi-pi!"

Chwerthin yn iach

Pa ffrwyth sy'n gwrthod gwrando?
Ba-na-na!

Beth yw hoff ffrwythau defaid?
Meee-fus!

Beth yw'r ffrwyth mwyaf poenus?
Aaaaa-fal!

Beth ddwedodd y bachgen o'r
Gogledd am y mafon?
"Ma fo'n flasus iawn."

Cnoc, cnoc.
Pwy sy 'na?
Ffa.
Ffa pwy?
Ffa la la la!

Hwyl Hwyr

Pennod 1

"Smo fe'n deg!" sgrechiodd Nel. "Mae Twm yn cael trip!"

Roedd Nel wedi cwyno ac udo am awr. Curodd y soffa gyda'i dyrnau bach. Ciciodd ei thraed ar y llawr. Roedd clustiau blewog Mister Fflwff yn dost.

"Smo. Fe'n. DEEEEEEEEG!"

"Smo fe'n deg," sibrydodd Mam. "Mae Twm yn cael trip."

"Un noson," meddai Mam.

Roedd Nel yn y bath yn esgus bod

yn gapten llong. Roedd hi'n taflu tornados swigod. Sblash! Roedden nhw'n glanio ar lawr llithrig y stafell molchi yn barod i ffrwydro.

"Dim ond am un noson?" gofynnodd Dad. Roedd e eisiau bod yn siŵr o'r ffeithiau.

"Ie. Wyt ti'n meddwl y byddai dy fam yn fodlon i Nel aros am UN noson?" Roedd Mam yn codi dillad brwnt Nel a'u rhoi yn y fasged.

Gwaith Dad oedd cadw dillad glân Nel. Siglodd Dad ei ben. "Mae'r nos yn hir… Beth am dy dad?"

Dychrynodd Mam. "Na. Fyddai Dad byth yn gallu ymdopi." Roedd Dat-cu yn ddyn iach. Roedd yn chwarae golff i gadw'n heini. Ond doedd gêm o golff yn ddim byd o'i gymharu â noson gyda Nel.

"Petai Twm yn mynd gyda hi i dŷ Mam-gu…" Stopiodd Dad.

Dyna oedd y broblem. Roedd Twm yn mynd i Wersyll Glan-llyn gyda'r ysgol. Roedd yn brofiad da i Twm, ac roedd Mam a Dad wedi cynilo i dalu am y trip… a'r dillad a'r treinyrs newydd… a'r arian poced. A nawr roedden nhw'n teimlo'n euog. Roedd Nel yn haeddu gwobr fach hefyd a chael mynd ar drip i dŷ Mam-gu. On'd oedd hi?

Drannoeth, sgipiodd Dad trwy'r drws ffrynt fel clocsiwr ar lwyfan.

"Gredi di byth! Mae Mam wedi cytuno! Caiff Nel fynd at ei mam-gu am UN noson. Dim ond i ni gytuno bod ar ben arall y ffôn os bydd angen," meddai'n llon.

Un noson hir, hyfryd heb y plant! Y noson rydd gyntaf ers i Nel gael ei geni! Roedd Mam mewn sioc. Eisteddodd i lawr, yn glou. Trwy lwc, roedd cadair yno i'w dal.

"Nel! Nel!" galwodd. "Dere 'ma! Newyddion da o lawenydd mawr! Rwyt ti'n mynd i gael *sleepover*...!"

"IEEEEEEE...!" gwaeddodd Nel yn gyffrous, a rhedeg oddi yno.

"... yn nhŷ Mam-gu," gorffennodd Mam ei neges. Ond roedd hi'n siarad â'r wal erbyn hynny.

Roedd Nel ar ben ei digon. Parti cysgu! Aeth at y laptop ar unwaith i lunio'r gwahoddiad.

Cwestiwn oedd gwahoddiad fel arfer.

'A fyddet ti'n hoffi dod i fy mharti i?'

Ond nid gofyn roedd Nel. Dweud roedd hi. Roeddet ti'n lwcus i gael gwahoddiad gan Nel… Felly, roedd yn RHAID i ti fynd i'r parti.

Doedd y gwahoddiad ddim yn dweud bod Nel yn dathlu ei phen-blwydd.

Doedd e ddim yn dweud NAD oedd hi'n dathlu ei phen-blwydd.

Petai rhywun yn dod ag anrheg…? Byddai Nel yn ei derbyn yn gwrtais. Roedd Dad a Mam yn ei hannog i fod yn gwrtais o hyd. Yna, byddai'n rhwygo'r papur i ffwrdd. Anrhegion oedd y pethau gorau yn y byd i gyd. Anrhegion a siocled a gwyliau ysgol.

Roedd Mam a Dad yn falch. Roedden nhw wedi gweld Nel wrth y cyfrifiadur. Roedden nhw'n teimlo'n hapus iawn.

Stopiodd Mam droi'r saws pasta am funud ac edrych ar Dad.

"Mae'n dangos diddordeb yn ei gwaith ysgol," meddai.

"Heb i ni ei gorfodi hi," meddai Dad.

Fel arfer roedd yna bwdu a sgrechian cyn i Nel wneud ei gwaith cartref.

Tap, tap, tap. Roedd Nel yn gweithio'n galed.

Gwenodd Mam. "Ti'n cofio pan fuest ti'n creu poster T Llew Jones iddi? A Nel yn gwylio *Strictly* yn y lolfa? Gafodd hi seren gan Miss Morgan am y poster yna."

"Do, glei! Dreuliais i ddwy awr yn ei wneud e."

"Newyddion da!" Daeth Nel i mewn i'r tŷ fel mellten, gan boeri bagiau i bob cyfeiriad. "Mae pawb yn gallu dod nos Sadwrn!"

Roedd Mam wedi drysu. Roedd hi wedi cael diwrnod hir. Pwy oedd pawb? A ble oedden nhw'n mynd? Caeodd Dad y drws ar eu holau nhw a mynd yn syth lan staer i newid o'i ddillad gwaith. Ar ôl gwers nofio Nel, roedd yn edrych ymlaen at gael pum munud o lonydd.

"Am beth wyt ti'n sôn, Nel fach?" gofynnodd Mam, gan godi'r bagiau.

"Fy mharti cysgu – Hwyl Hwyr. Dwi wedi gwahodd Mair Mwyn a Barti Blin. A Dyta Dawel. Dwi heb ei gweld hi ers oes! Mae wedi bod yng Ngwlad Pwyl gyda'i mam ers tair wythnos. Newyddion AR-BENNIG. Maen nhw i GYD yn dod."

Doedd Nel ddim wedi gwahodd Siw Bw-Hw rhag ofn iddi grio.

A doedd hi ddim wedi gwahodd

Alys Anghofus rhag ofn iddi anghofio.

"Bydda i'n cysgu ar fy ngwely i. Bydd rhaid cael y matras iddyn nhw gysgu ar y llawr.

A bydd rhaid i ni fynd i'r siop losin i wneud yn siŵr bod digon o fwyd. Pryd allwn ni fynd i'r siop losin?"

Roedd gwên wirion ar wyneb Nel. Gafaelodd yn nwylo Mam a dechrau neidio lan a lawr.

"Ond rwyt ti'n mynd i aros gyda Mam-gu nos Sadwrn, cariad bach…" meddai Mam, gan feddwl am barti cysgu cyntaf Nel yn nhŷ Mam-gu. Meddyliodd Mam am ei chynlluniau hi – eistedd yn dawel a

darllen… Gwylio ffilm… Aros yn y gwely tan naw y bore canlynol!

"Nos Sadwrn yma?" Stopiodd Nel neidio fel ffŵl.

Nodiodd Mam ei phen.

"Alla i ddim mynd i UNMAN nos Sadwrn yma. Nos Sadwrn mae'r parti mawr sy'n para TRWY'R nos."

Pan glywodd Dad, estynnodd am y mobeil o boced ôl ei jîns. Nododd un peth ar y calendr. Pwysig iawn. Gweddïo cyn gwely y byddai Barti Blin yn rhy brysur i ddod.

"Falle fydd e ddim yn rhy ddrwg…" meddai Mam.

Roedd Nel yn ei gwely.

O'r diwedd.

Eisteddai Mister Fflwff ar y gadair orau. Yn canu grwndi.

Ddim yn rhy ddrwg? Doedd Dad ddim yn credu hynny am eiliad. Ond roedd Mam ar y we. Roedd hi wedi dod o hyd i restr – rhestr hir o bethau da am bartïon cysgu.

"Mae plant yn aeddfedu ar ôl parti cysgu," meddai Mam yn llawn gwybodaeth. "Mae hynny'n swnio'n neis."

"Hmm. Aeddfedu!" Doedd fawr o hwyl ar Dad.

"Maen nhw'n lledu eu hadenydd," darllenodd Mam.

Doedd hi ddim yn siŵr am hynny. Dychmygodd Nel yn lledu ei hadenydd ac yn bwrw pob peth ar lawr. Crash! Ta-ta tsieina gorau! Ta-ta gwydr lliw!

Ond roedd Mam yn hoffi'r peth olaf ar y rhestr.

"Mae parti cysgu yn ymarfer da ar gyfer trip hirach oddi cartref," meddai'n gadarn wrth Dad.

Tynnodd Dad ei drwyn o'r llythyron diflas ar y bwrdd. Nodiodd ei ben.

Nel oddi cartref ar drip hir... Mmm, meddyliodd Mam yn felys. Roedd hi'n caru Nel yn fwy na'r byd i gyd yn grwn. Ond gwenodd wrth feddwl am saib hir... Gwên fach flinedig oedd hi.

Mwy o blant bach yn y tŷ, meddyliodd Mister Fflwff. Byddai'n trefnu ei drip ei hun nos Sadwrn. Trip dal llygod.

"Ga i?" gofynnodd Nel, gan siffrwd ei hamrannau fel adenydd gwas y neidr. "Ga i, plis? Plis pert..."

Toddodd Dad. Menyn yng ngolau'r haul. Efallai na fyddai parti cysgu Nel yn RHY ddrwg.

Byddai Dad yn meddwl nad oedd pethau'n rhy ddrwg weithiau. Pan fyddai'r tŷ yn dawel gyda'r nos. Byddai'n meddwl hynny nes iddo gael ei ddihuno gan y cloc larwm mwyaf effeithiol ar y ddaear – sgrech annaearol Nel.

O, wel, meddyliodd. Y peth gorau am barti cysgu? Byddai'r plant yn cysgu'r rhan fwyaf o'r amser.

Pennod 2

Pam maen nhw'n ei alw'n 'barti CYSGU'? Doedd Nel ddim yn bwriadu cysgu O GWBWL. Ac os oedd ei ffrindiau hi'n MEDDWL cysgu? Byddai'n rhaid iddyn nhw ailfeddwl. Roedd ganddi gynllun. Roedd Nel yn llawn cyffro a chynlluniau. Petai ei ffrindiau'n cysgu, byddai'n estyn am Y Ddyfais Ddihuno Ddieflig. Y ffidil. A byddai'n chwarae'r ffidil yn frwd wrth eu clustiau.

Dechreuodd Nel chwerthin wrth feddwl am y peth. Chwarddodd nes bod yn rhaid iddi groesi ei choesau. Chwarddodd nes i damaid bach o bi-pi ddod mas. (Nid dyna'r tro cyntaf.)

Nos Sadwrn. Roedd Dad wedi paratoi swper iach i'r plant:

Roedd Dad yn bles iawn â'i hunan. Roedd gwell hwyliau arno. Oedd, roedd Barti Blin yn gallu dod. A doedd e ddim yn siŵr pam roedden nhw'n galw Dyta yn Dyta Dawel. Gallai siarad tair iaith yn rhugl – Cymraeg, Saesneg a Phwyleg. Ond roedd Mair yn ferch gall. Efallai y gallai hi gadw trefn ar y lleill.

Edrychodd Dad ar y bwyd. Cystal â Bryn Williams!

"Ych!" meddai Nel pan welodd y swper. Roedd hi wedi llunio ei bwydlen ei hun. Rhoddodd y rhestr i Dad.

"Paid â phoeni am addurno'r bwrdd. Byddwn ni'n bwyta lan staer. Yn fy stafell wely. Ar y matras. A sdim angen cyllyll a ffyrc. Bydd e'n llai o waith i ti."

Bwydlen Nel

Sosej rôls
Creision
Caws a phinafal ar ffyn
(heb y pinafal)
Cacennau bach
Cacennau mawr
Cacen siocled fawr...
Bisgedi pinc
Bisgedi siocled
Bisgedi jam a hufen
Brechdanau menyn cnau mwnci
Popcorn
Pic 'n Mix (mawr)
Bocs mawr o Celebrations
(i ddathlu)
Pop

Roedd Nel wedi gwneud arwydd mawr mewn sgribls anniben. Sticiodd e ar y drws gyda thâp selo. Hongiai yno'n gam.

Doedd dim ots gan Mister Fflwff. Roedd e wedi diflannu am y noson.

Roedd Nel wedi clirio'r teganau oddi ar y gwely caban: Ted-ted, y tedi ag un llygad. Sali Mali, heb ei bynsen. A'r Dewin Dwl, heb ei het. Fe gawson nhw eu lluchio ar lawr. Bang, bang, bang. Rhoddwyd nhw i gyd yn y bin ar gyfer teganau 'does neb yn chwarae â nhw'.

"I wneud lle," esboniodd Nel.

I wneud lle ar gyfer beth? gofynnodd Mam iddi hi ei hun mewn braw.

Rhoddwyd y matras ar lawr ar gyfer "y plant eraill" a dechreuodd Nel neidio lan a lawr arno yn syth. Sbonc, sbonc, fel petai'n drampolîn. Pan ddywedwyd wrthi beidio, dadleuodd fod yn rhaid iddi, er mwyn gwneud yn siŵr bod y sbrings yn ddigon cyfforddus.

"Cadwch at y rheolau a bydd pawb yn cael hwyl," meddai Dad, gan adael y stafell.

Roedd Nel yn hoffi'r syniad hwnnw. Roedd ganddi hi reolau ar gyfer y noson.

Rheol Un: Rhaid i bawb gael hwyl.

Rheol Dau: Dim cysgu.

Ymunodd Mam gyda Dad ar y

landin. Gallen nhw glywed cangarŵ yn sboncio yn stafell Nel.

"Wyt ti'n siŵr bod hyn yn syniad da?" gofynnodd Dad.

"Paid beio fi!" tarodd Mam yn ôl.

"Croeso i'r ogof hud!"

Agorodd Nel ei breichiau led y pen. Arweiniodd ei ffrindiau i'w stafell wely. (Roedd ar ben ei digon ar ôl derbyn tair anrheg hael ganddyn nhw.) Edrychodd Barti Blin, Dyta Dawel a Mair Mwyn o'u cwmpas yn syn.

"Yn y cysgodion mae'r Brenin Arthur yn cysgu!" bloeddiodd Nel (er bod y tri arall yn sefyll wrth ei hymyl). "Un diwrnod bydd Arthur yn deffro a'n harwain ni'r Cymry mewn

un frwydr olaf yn erbyn ein gelynion."

"Ystyr 'Dyta' yw brwydr dda," meddai Dyta Dawel.

"Grêt." Dechreuodd Nel ymladd yr awyr â chleddyf anweledig. Ymunodd Barti Blin yn y frwydr.

"Cafodd Arthur ei gladdu gyda thri pheth:

Un. Tylwyth teg i'w olchi.

Dau. Seren i oleuo'r ffordd.

Tri. Crochan o gawl Mam-gu, 'fel na fydd eisiau arno'.

A… buwch!"

Stopiodd Barti'r frwydr. "Mae hynny'n bedwar peth. Tri ddwedaist ti."

Cafodd Barti ei daro gan ergyd annisgwyl. Cwympodd ar y matras.

"Pam mae angen buwch?" gofynnodd Dyta'n dawel.

"I Arthur gael llaeth Cymru i'w gadw'n gryf ar gyfer y frwydr."

Chwarddodd Mair Mwyn. Roedd hi wrth ei bodd gyda straeon Nel.

Aeth Nel ymlaen. "Ac os gwelwch chi gorrach bach, dwedwch, 'Helô, Bogel.' Mae Bogel yn gyfeillgar iawn. Ond falle byddwch chi'n ei arogli cyn ei weld. Ei oglau rhech yw fy ngelyn pennaf."

"Cŵl." Roedd Barti wedi codi.

"Beth os bydd Arthur yn deffro heno?" Roedd Dyta'n astudio casgliad cregyn Nel. Roedden nhw i gyd wedi torri.

"Rhaid i ni fod yn barod!" Anelodd Nel ei chleddyf anweledig. Doedd dim problemau ym myd Nel.

Pennod 3

Roedd Mam a Dad wedi paratoi gêmau i ddiddori'r plant oedd yn eu gofal. Roedd hynny'n fwy diogel na'u gadael i ddiddori eu hunain.

Dechreuodd y gêm Cadeiriau Cerdd ar nodyn swynol. Rhoddodd Mam bedair cadair mewn rhes a gwasgu'r botwm ar yr iPhone i danio'r Tebot Piws.

"Mawredd mawr, steddwch i lawr.
Mae rhywun wedi dwyn fy nhrwyn."

Canodd y plant wrth redeg o gwmpas y cadeiriau fel haid o wartheg gwyllt.

Cadair i bawb a phawb yn hapus. Yna dechreuodd Mam dynnu cadeiriau fesul un, un rownd ar y tro.

“Ti sydd mas gyntaf, Mair!” galwodd Nel.

Nodiodd Mair ac eistedd ar y soffa’n ufudd.

“Ha, ha, Dyta. Rhy araf!” sgrechiodd Barti.

Ddywedodd Dyta ddim byd.

Yna, aeth pethau’n fflat.

Roedd Nel eisiau ennill – ei pharti hi oedd hwn! Ond doedd Barti ddim eisiau colli.

“Ti fydd mas nesaf, Barti,” meddai Nel.

“Dwi lot cyflymach na ti!” atebodd Barti.

Roedd y ddau’n rasio o gwmpas un gadair.

“Malwen ddall!” poerodd Nel.

“Asyn cloff!” gwaeddodd Barti.

Stopiodd Mam y canu. Rhedodd Nel a Barti at y sedd. Roedd y ddau'n benysgafn. Hanner cwympodd dau ben-ôl yn glatsh ar y gadair.

"Mas o'r ffordd, Barti!"

"Fi oedd 'ma gyntaf, Nel!"

Syrthiodd y gadair i'r dde. Cafodd Barti ei daflu ymlaen ar y mat. Disgynnodd Nel ar ei ben.

"Gêm gyfartal," galwodd Mam. "Siocled i bawb."

Roedd rhieni Nel wedi trefnu helfa drysor a chuddio cliwiau yn yr ardd. Syniad da i'r plant wastraffu egni y tu allan.

"Dewch!" gwaeddodd Nel. "Rydyn

ni'n fôr-ladron drygionus yn chwilio am aur!"

Bu ffrae hir am ba fôr-leidr oedd y cyntaf i gyrraedd yr aur. Mynnodd Nel mai hi oedd yn rhannu'r ceiniogau siocled.

"Un i fi. Un i ti. Un i fi. Un i ti."

Roedd pawb yn eithaf hapus.

Ar ôl hynny roedd Dad a Mam yn barod am hoe.

Eisteddodd y plant mewn pyjamas i wylio ffilm. Eistedd fel cynrhon.

"Beth am ffilm Disney?" gofynnodd Dad.

"Dwi wedi eu gweld nhw i gyd." Doedd Mair ddim yn trio creu trafferth.

"Mae'n rhaid bod yn deg â Mair. *Doctor Who* amdani," gwenodd Nel.

Doedd Dad ddim yn siŵr am y

dewis – *Doctor Who: Yr Hunllef Erchyll.* Ond ddywedodd Dyta ddim byd. Ddywedodd Barti ddim byd chwaith – nes bod y ffilm wedi gorffen. Yna, roedd ganddo ddigon i'w ddweud.

"Anhygoel!" meddai. "Dwi ddim yn cael gwylio *Doctor Who* fel arfer!"

"Ni'n mynd lan staer nawr i fwyta swper," meddai Nel, gan godi. "Dere â'r bwyd plis, Dadi bach."

Pennod 4

"WAAAAA!" Rhedodd Nel at Barti gyda chlustog yn ei llaw. Tarodd y glustog yn erbyn Barti. "Wac!"

Roedd y ddau'n gwisgo colur Mam ac yn drewi o bersawr Chanel.

Chwarddodd Barti, codi ei glustog a tharo clustog Nel deirgwaith, "Bang! Bang! Bang!"

Cwympodd Nel ar ei chefn yn ddramatig. Gorweddodd ar y matras yn crio chwerthin.

Plygodd Barti uwch ei phen a tharo'r glustog oedd ym mreichiau Nel.

"Fi sy'n ennill!" tasgodd Barti. "Ti mas!"

"Fi'n starfo!" bloeddiodd Nel. Doedd dim ots ganddi

golli am unwaith. Roedd hi'n mynd i ennill y dydd yn erbyn Barti yn y diwedd. Pan fyddai'n cysgu, byddai Nel yn dwyn ei glustog. Byddai'n rhoi balŵn ynddi. Pan fyddai pen Barti'n cyffwrdd y glustog byddai 'POP' enfawr. Byddai Barti'n cael sioc anfarwol! Ha, ha!

Helpodd Mair ei ffrind Dyta i osod blanced ar y matras ar gyfer y wledd. Roedd fel cael picnic ar donnau'r môr. Roedd popeth yn symud lan a lawr. A doedd neb yn eistedd yn llonydd. Roedd bwyd ym mhob man.

Syllodd Nel yn grac ar y tomatos. Roedd hi wedi dweud wrth Dad

Nel
Dona Direidi
D
Pa Ffordd

beidio â'u rhoi ar y plât! Beth oedd pwynt addurno bwyd? Beth oedd hi'n mynd i'w wneud nawr? Roedd Barti wedi estyn hen lyfr i fabanod. Roedd yn rhwygo tudalennau, eu plygu'n awyrennau a'u saethu dros y stafell.

Mmm. Roedd y tomatos fel peli. Yn sydyn, cafodd Nel fflach ffantastig.

Roedd Dad yn methu credu.

"Mae Nel wedi gofyn am domato!" dywedodd wrth Mam.

Doedd hi ddim yn mynd i'w fwyta, chwarddodd Dad wrtho'i hun. Roedden nhw wedi trio perswadio Nel i fwyta tomato ers pan oedd hi'n fabi. Ond cafodd Nel ei geni'n gwybod bod yn well ganddi fisgïen.

"Mae'r tomatos i'r lleill, mae'n rhaid. Efallai fod plant eraill yn bwyta tomatos."

Aeth Mam lan staer mewn rhyw hanner awr. Cliriodd y picnic o stafell Nel orau y gallai hi. Ceisiodd beidio ag edrych ar yr annibendod. Ond sylwodd ar un peth. Dim tomatos.

"Ewch i frwsio'ch dannedd a gawn ni stori cyn cysgu," meddai.

Pam ham? gofynnodd Nel iddi hi ei hun. Roedden nhw'n mynd i fod yn stwffio losin yn syth ar ôl i'w rhieni ddiflannu lawr staer. Doedden nhw ddim yn mynd i aros tan hanner nos cyn cael y wledd. A beth oedd pwynt stori cyn cysgu? Wir! Roedden nhw'n mynd i aros ar ddihun trwy'r nos.

Pfff!

Chwarddodd Barti.

"Barti! Ti ddim i fod bwyta gormod o fwyd iach! Fyddwn ni ddim yn gallu anadlu achos y nwyon peryglus sy'n dod mas o dy ben-ôl di!"

Roedd Barti Blin a'i fochau cochion yn atgoffa Nel o'r haul yn machlud – roedd y ddau yn beli llawn nwyon.

Agorodd Nel y ffenest ac anadlu'n ddwfn. Roedd yr awyr iach yn llawer mwy iach nag oglau stafell gyda Barti ynddi. Aeth yr oerfel i fyny ei thrwyn a'i gosi.

Roedd hi'n nos, ond doedd hi byth yn hollol dywyll y tu allan i'w ffenest. Gallai Nel weld wyneb mawr y lloer a'i dannedd gwynion yn gwenu goleuni. Fan hyn a fan'co roedd sgwariau disglair ffenestri'r tai o'i chwmpas. Ar ôl tipyn, gwelai siapiau yn dod allan o'r düwch i gwrdd â hi. Ai gelynion Arthur oedden nhw? Roedd angen yr arfau cochion felly. Bomiau bach i rwystro'r gelynion.

Ceisiodd ddychmygu. Pa mor bell oedd tŷ Mr Jones a Wi y ci o fan hyn? A fyddai e'n cysgu? Na, roedd e ar ei orau yn y nos. Yn creu swynion i fwrw hud ar bobol y pentref.

Bu Nel yn chwarae pêl-rwyd yn yr ysgol a thennis gyda Barti yn yr eisteddfod. Petai hi'n anelu'n uchel, a fyddai'r tomatos yn cyrraedd tŷ Mr Jones? A fyddai hi'n gallu bwrw cenllysg o beli cochion a rhoi stop ar ei gastiau blin?

Cododd ei braich.

"Beth wyt ti'n ei wneud, Nel?" Clywodd gwestiwn Dyta.

"Ga i hefyd?" Roedd hi'n amhosib peidio â chlywed Barti.

Ond roedd Nel yn rhy brysur yn canolbwyntio i ateb.

Anelu…

Taflu…

Sblat!

Anelu…

Taflu…

Sblat!

Ar ôl ychydig, sylweddolodd fod tŷ Mr Jones yn rhy bell.

Roedd angen targed agosach. Rhywbeth haws i'w daro.

Roedd Nel am fwynhau ffrwyth ei llafur.

Edrychodd o'i chwmpas, gan graffu i'r tywyllwch. Ac yna fe

welodd e. Reit o flaen y tŷ. Wrth gwrs, meddyliodd. Car Dad! Fyddai dim ots gan Dad. Roedd ei rhieni wedi dweud a dweud a dweud: mae tomatos yn bethau da.

Am ddau o'r gloch, dihunodd Barti. Gwelai ysbryd dynol yn cuddio o dan flanced.

"Arthur!" sibrydodd yn gegrwth.

Tynnwyd y flanced oddi ar y ffigwr. "BWWW!" sgrechiodd Nel.

Neidiodd Barti fel dyn o'i go'.

Chwarddodd Nel.

Roedd Arthur yn dal i gysgu. Ond nawr, roedd ffrindiau Nel i gyd ar ddihun.

Am dri o'r gloch, cafodd rhieni Nel eu dihuno gan gôr o gathod. Sgrech! Beth oedd yn bod?

"Canu maen nhw." Mam oedd y cyntaf i ddeffro'n iawn.

Roedd *Cân i Gymru* yn stafell wely Nel. Pedwar plentyn. Dau ficroffon. Carioci.

Am bedwar o'r gloch, dihunwyd Dad a Mam unwaith eto.

"Ydy Arthur wedi deffro ar gyfer ei frwydr olaf?" gofynnodd Dad.

Na. Ond roedd ras sgwters yn digwydd ar hyd y landin. Wwwsssh!

"Amser brecwast!" cyhoeddodd Nel am bump o'r gloch.

"Weetabix?" gofynnodd Mam yn flinedig.

"Pancws," atebodd Nel. "Pawb yn hoffi pancws?"

Nodiodd y lleill.

"Plis, Mam! Ti yw'r fam orau erioed!"

Neidiodd Nel mas o'r gwely ac estyn am ei *fleece* 'Taran'.

"A paid â phoeni, Mam. Fe wnawn ni i gyd helpu."

Llyncodd Mam ei phoer.

Epilog

"Ro'n i'n esgus ei bod hi'n bwrw glaw yn sobor iawn," esboniodd Nel.

"Wel, gei di helpu i lanhau'r car." Roedd Dad yn grac. Roedd yr Audi wedi dal y frech goch dros nos. Sut gallai fynd i'r capel fel hyn? Cofiodd am y tro pan wlychodd Nel ei drowsus capel.

Gwenodd Nel. Byddai wrth ei bodd yn cael bwced llawn dŵr a sbwnj sebonllyd. Heb sôn am beipen ddŵr.

Dechreuodd Dad feddwl am Nel gyda bwced llawn dŵr a sbwnj…

Rhoddodd Nel un fraich am Mam ac un fraich am Dad a'u tynnu'n agos ati. Rhoddodd gwtsh mawr iddyn nhw.

"Mam, ti yw *number one* fi. A Dad, ti yw *number two*."

Gwenodd Mam. Ond roedd gwên Dad yn gam. Oedd hynny'n gompliment? Doedd dim amser i feddwl am eiriau ei ferch.

Roedd Nel yn rhedeg tua'r garej yn gweiddi, "Bwced, Dad! Glou! Wedyn byddi di'n gallu mynd â fi i dŷ Mam-gu am barti cysgu arall heno. Dwi ddim eisie ei siomi hi. A'r newyddion gorau yw – dwi ddim wedi blino o gwbwl!"